501

images à retrouver

À la ferme

Kimane

À la ferme, Fanfan et Galopin sont très amis et adorent partager de drôles d'aventures.

Fanfan

Galopin

Essaie de retrouver Fanfan et Galopin dans toutes les scènes de ce livre.
Lorsque tu les as trouvés, cherche ce qui est représenté sur les petites images.
Commence par trouver les deux amis qui rôdent dans le potager.

2 tracteurs rouges   **3 poulaillers**   **6 poules qui picorent**

Bravo! Tu as trouvé Fanfan et Galopin. Essaie maintenant
de découvrir ces petites images.

Dans le potager

Au poulailler

Fanfan et Galopin observent leurs amis les poules
et les poussins qui gambadent et s'amusent.
Retrouve-les près du poulailler.

Félicitations!
Découvre aussi ce qui
est représenté ici.

1 coq

3 pelles

4 nids remplis d'œufs

7 boîtes d'œufs   **8 poussins**   **10 empreintes de patte**

Dans la grange

Tous les animaux de la ferme font les fous dans la grange. Amuse-toi à retrouver Galopin et Fanfan au milieu de cette joyeuse pagaille.

2 roues de tracteur géantes

3 poules ninjas

4 châteaux de sable

8 moutons endormis

9 fourches

10 seaux de boue

Dans l'écurie

Les chevaux sont sortis de leur stalle et s'amusent beaucoup avec les autres animaux. Vois-tu Galopin et Fanfan au milieu de ce grand chahut ?

**Bravo !
Retrouve aussi ces images dans l'écurie.**

3 canards masqués

4 poules qui balaient

6 cochons jockeys

7 sacs de foin

8 selles

10 fers à cheval

La course de tracteurs

Tous les animaux participent à la grande course annuelle de tracteurs. Fanfan et Galopin sont-ils aussi au départ ? À toi de les retrouver !

2 poules arbitres

3 brebis majorettes

5 vaches conductrices

6 cochons avec un gant

9 jerricanes d'essence

10 drapeaux à damier

La mare aux canards

Galopin et Fanfan passent une merveilleuse après-midi
au bord de la mare aux canards.
Où se cachent-ils ?

Bien vu !
Découvre maintenant ce
qui est représenté ici.

1 poule pêcheuse   3 canards plongeurs   4 moutons nageurs

5 grenouilles
rigolotes

7 poules dans
une bouée

10 cochons rameurs

Dans la prairie

Fanfan et Galopin poursuivent leur promenade et coupent à travers champs. Les vaches et les moutons s'y régalent d'une belle herbe verte. Sauras-tu retrouver Fanfan et Galopin parmi tous les animaux ?

Retrouve ce qui est représenté ici.

2 loups déguisés en mouton

4 moutons noirs

5 poules toréros

6 cochons laboureurs

7 renards rôdeurs

10 bouteilles de lait

Dans la porcherie

Galopin et Fanfan rendent visite à leurs amis les cochons,
qui pataugent joyeusement dans la boue.
Essaie de les retrouver. Sont-ils restés propres
ou sont-ils aussi sales que les cochons ?

Bravo !
Retrouve aussi ce qui
est représenté ici.

2 poules décontamineuses

**4 cochons enveloppés
d'une couverture**

5 bacs à légumes

6 cochons boueux

7 coqs chantant

10 tee-shirts sales

Un merveilleux verger

Galopin et Fanfan ont faim et se rendent au verger
pour y trouver de délicieuses pommes. Ils sont cachés
dans les pommiers, les vois-tu ?

3 voleurs de pommes

4 remorques de pommes

5 poules sur une échelle

7 gourdes de jus de pomme

8 sacs de pommes

9 meules de foin

Panique dans le pré!

De drôles de visiteurs débarquent dans le pré!
On dirait que c'est la panique parmi les animaux.
Retrouve Fanfan et Galopin au milieu de ce désordre.

**Félicitations!
Cherche maintenant ce
qui est représenté ici.**

1 gentil extraterrestre

3 poules détectives

4 cochons dans une
soucoupe volante

5 moutons avec un bouquet de fleurs

7 chevaux tondeurs

10 troupeaux d'oies

Retour à la ferme

Après une journée mouvementée, Fanfan et Galopin rentrent à la ferme. Pourront-ils se reposer ? Découvre-les au milieu de toute cette agitation.